D0717398

À Papa, avec mon affection et mes remerciements pour être venu
me regarder chaque fois que je me suis prise pour une danseuse !

Illustrations et texte original de Mandy Stanley
Texte français de Faustina Fiore

L'édition originale de ce livre a été publiée en Grande-Bretagne en 2001
par HarperCollins Publishers Ltd sous le titre : *Lettice The Dancing Rabbit*.
Lettice is a trademark of HarperCollins Publishers Ltd.
Tous droits réservés.
Texte et illustrations © 2001 Mandy Stanley.
© 2005 Éditions Quatre Fleuves, pour l'édition en langue française.
Isbn n° 2-84196-483-3
Dépôt légal : mars 2005.
Imprimé et relié en Chine. $C\epsilon$

Lisette

choupinette

Au cours de danse

Mandy Stanley

Editions
Quatre
Fleuves

Lisette est une petite lapine très gentille, si gentille
que sa maman l'appelle souvent « Choupinette ».
Elle vit avec sa famille tout en haut d'une colline.
Chaque jour, c'est le même refrain : elle se lève,
grignote des carottes, sautille dans les prés...

Un matin, Lisette aperçoit une affiche
accrochée à un arbre près de son terrier.
L'image représente une jeune danseuse
que notre lapine trouve très gracieuse.
Elle aimerait beaucoup lui ressembler
et être danseuse, elle aussi !

Le meilleur endroit où Lisette a une chance
de réaliser son rêve, c'est dans la ville voisine.
Elle a un peu peur d'y aller toute seule,
mais c'est la seule solution !

Après une longue heure de marche, Lisette arrive
enfin. La ville fourmille de choses intéressantes
à découvrir, mais la lapinette s'y sent aussi
un peu perdue...

Lisette aperçoit enfin l'affiche de la danseuse !
Elle pénètre alors dans une maison et pousse
la porte d'une grande salle aux murs recouverts
de miroirs… Là, des enfants dansent en rythme.
Le cœur de Lisette bat la chamade.
« Moi aussi, je veux danser ! » s'écrie-t-elle.
Au son de sa voix la musique s'arrête, et les élèves
s'interrompent pour la regarder.
« S'il vous plaît, est-ce que je peux participer
aux leçons ? demande Lisette, intimidée.
– Oui, tu peux essayer, lui répond Gisèle le professeur
de danse. Mets-toi d'abord en tenue. »

Lisette est perplexe : elle n'a jamais porté de vêtements auparavant !
« Va au magasin d'à côté, c'est là que nous achetons nos tutus » lui souffle une petite fille.

Dans la boutique, la vendeuse a beau fouiller dans ses rayons, tout est bien trop grand pour notre lapine !

Le tutu traîne par terre,

les chaussons ressemblent à des palmes,

et elle flotte tellement dans le cache-cœur qu'elle pourrait s'en faire une couverture !

« Je ne pourrai jamais danser
si je n'ai ni chaussons
ni tutu ! »
sanglote Lisette.

La vendeuse apporte
alors la poupée
de la vitrine qui
est exactement de
la taille de Lisette.

Et cette fois, les vêtements
lui vont comme un gant !
Ça y est, notre future
danseuse est prête !

Lisette retourne au cours de danse et suit la leçon
de Gisèle. C'est bien plus difficile qu'elle ne
l'avait imaginé ! Elle doit d'abord apprendre
à placer ses pieds correctement.
Gisèle lui recommande ensuite de tenir son dos
et sa tête bien droits et de pointer gracieusement
ses oreilles vers le haut.

La petite lapine
travaille dur.

Elle tourne
ses longs pieds
vers l'extérieur

et place ses bras en couronne.

Elle a parfois du mal à ne pas perdre l'équilibre !
Mais s'il y a bien une chose que Lisette sait faire
à la perfection...

... c'est sauter ! Quand elle s'élance, elle semble voler

el un oiseau et tourbillonner comme une plume dans le vent !

Depuis, chaque mercredi, Lisette se rend en ville
pour assister à son cours de danse.
Et les autres jours, elle s'exerce dans la prairie.

Ses frères et sœurs se plaignent parce qu'elle ne joue plus avec eux, mais Gisèle, quant à elle, trouve que son élève est douée et qu'elle progresse vite. Elle lui fait beaucoup de compliments sur ses bonds extraordinaires.

Lisette s'entraîne tant que le soir elle se couche complètement épuisée... mais satisfaite.

Des mois plus tard a lieu le spectacle de fin d'année.
C'est à Lisette que le rôle principal a été attribué.
Pour l'occasion on lui a confectionné un ravissant
costume, et on l'a maquillée. Elle porte même
un petit diadème !

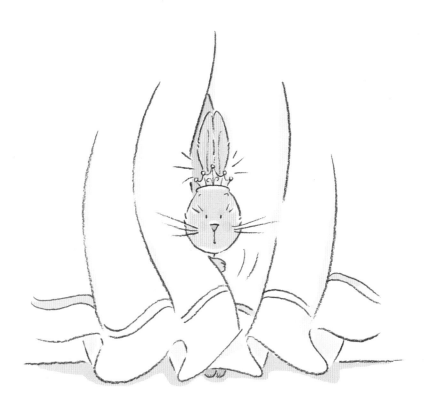

Quand Lisette est prête, elle jette un coup d'œil dans la salle. Il y a beaucoup de monde, et toute sa famille est venue assister à la représentation. La petite lapine a tellement le trac que ses pattes tremblent...
Pourra-t-elle danser ?

Ça y est, le spectacle commence ! Les lumières
s'éteignent, la musique démarre et le rideau se lève…
Lisette bondit sur scène !
Dès qu'elle se met à danser, elle éprouve un tel plaisir
qu'elle en oublie sa peur.
Éblouissante dans son tutu rose, elle tourbillonne,
enchaîne les petits battements et les grands jetés…
Admiratifs, les spectateurs retiennent leur souffle.
Quant aux petits lapins, ils ne cessent d'applaudir.
« Bravo, Choupinette ! »

À la fin du spectacle, les lapins font la course pour rentrer chez eux. Lisette les voit passer devant sa loge à toute allure.

« Attendez-moi ! » crie-t-elle.

Mais personne ne l'entend.

Bien vite, la pauvre Lisette se retrouve seule.
Il fait déjà nuit quand elle rentre chez elle, et la pluie
s'est mise à tomber. Lisette n'a plus qu'une envie :
se coucher le plus vite possible.
À peine arrivée, elle s'endort toute habillée !

Quand Lisette se réveille le lendemain matin,
elle entend ses frères et sœurs discuter :
« Lisette ne voudra sûrement pas nous accompagner
à notre pique-nique, dit l'un.
— Non, elle est célèbre maintenant, cela ne
l'intéressera pas » répond un autre.

Lisette entre alors dans une colère noire.
« Je n'arrive pas à y croire ! s'exclame-t-elle.
Ce n'est pas parce que j'aime danser
que je n'ai plus envie de jouer avec eux ! »
Et elle se débarrasse de son tutu, de son diadème,
de ses chaussons et de ses collants.

Puis elle part en courant !
« Attendez-moi ! J'arrive ! » crie-t-elle.
Sans son costume, elle peut à nouveau sentir le soleil
sur sa fourrure, l'herbe sous ses pieds et le vent
dans ses oreilles. Merveilleux !
Cela faisait si longtemps qu'elle n'était pas allée
se promener dans la prairie.
Lisette est vraiment contente d'être devenue
danseuse, mais elle comprend aussi qu'être
une petite lapine, c'est tout simplement
la meilleure chose au monde !